鵲橋仙

次東坡七夕韻

八年不見，清都絳闕，望銀漢、溶溶漾漾。年年牛女恨風波，算此事、人間天上。

野麋豐草，江鷗遠水，老夫唯便疏放。百錢端往問君平，早晚具、歸田小舫。

鵲橋仙

席上賦七夕詞

朱樓彩舫，浮瓜沉李，報答春風有幾。一年樽酒暫時同，别淚作、人間曉雨。

鴛鴦機綜，能令儂巧，也待乘槎仙去。若逢海上白頭翁，共一訪、癡牛騃女。

鷓鴣天

玄真子詠《漁父》云：「西塞山邊白鷺飛，桃花流水鱖魚肥。青篛笠，緑蓑衣，斜風細雨不須歸。」東坡嘗以《浣溪沙》歌之矣。表弟李如篪云：「以《鷓鴣天》歌之，更叶音律，但少數句耳。」因以玄真子遺事足之。憲宗時，畫玄真子像，訪之江湖不可得，因令集其歌詩上之。玄真之兄松齡懼玄真放浪而不返也，和答其《漁父》云：「樂在風波釣是閑，草堂松桂已勝攀。太湖水，洞庭山，狂風浪起且須還。」此余續成之意也。

西塞山邊白鳥飛，桃花流水鱖魚肥。朝廷尚覓玄真子，何處如今更有詩。

青篛笠，緑蓑衣，斜風細雨不須歸。人間底事風波險，一日風波十二時。

鷓鴣天

重九日集句

塞雁初來秋影寒，霜林風過葉聲乾。龍山落帽千年事，我對西風猶整冠。

蘭委佩，菊堪餐，人情時事半悲歡。但將酩酊酬佳節，更把茱萸仔細看。

鷓鴣天

坐中有眉山隱客史應之和前韻，即席答之。

黃菊枝頭生曉寒，人生莫放酒杯乾。風前橫笛斜吹雨，醉裏簪花倒著冠。

身健在，且加餐，舞裙歌板盡情歡。黃花白髮相牽挽，付與傍人冷眼看。

鷓鴣天

明日獨酌自嘲呈史應之

萬事令人心骨寒，故人墳上土新乾。淫坊酒肆閑居士，李下何妨也整冠。　金作鼎，玉爲餐，老來亦失少時歡。茱萸菊蕊年年事，十日還將九日看。

鷓鴣天

紫菊黃花風露寒，平沙戲馬雨聲乾。且看欲盡花經眼，休説彈冠與整冠。　甘酒病，廢朝餐，何人得似醉中歡。十年一覺揚州夢，爲報時人洗眼看。

鷓鴣天

節去蜂愁蝶不知，曉庭環繞折殘枝。自然今日人心別，未必秋香一夜衰。　無閑事，即芳期，菊花須插滿頭歸。宜將酩酊酬佳節，不用登臨送落暉。

鷓鴣天

聞說君家有翠蛾，施朱施粉總嫌多。背人語處藏珠履，覷得羞時整玉梭。　拖遠岫，壓橫波，何時傳酒更傳歌。爲君寫就黄庭了，不要山陰道士鵝。

鷓鴣天

吉祥長老設長松湯，爲作。有僧病痂癩，嘗死金剛窟。有人見者，教服長松湯，遂復爲完人。

湯泛冰瓷一坐春，長松林下得靈根。吉祥老子親拈出，個個教成百歲人。　燈焰焰，酒醺醺，壑源曾未破醒魂。與君更把長生碗，略爲清歌駐白雲。

鼓笛令 戲詠打揭

酒闌命友閑爲戲，打揭兒、非常愜意。各自輸贏只賭是，賞罰采、分明須記。

小五出來無事，却跋翻和九底。若要十一花下死，那管十三、不如十二。

鼓笛令

寶犀未解心先透，惱殺人、遠山微皺。意淡言疏情最厚，枉教作、著行官柳。

小雨勒花時候，抱琵琶、爲誰清瘦。翡翠金籠思珍偶，忽拚與、山雞僝僽。

鼓笛令

見來兩兩寧寧地，眼厮打、過如拳踢。恰得嘗些香甜底，苦殺人、遭誰調戲。

臘月望州坡上地，凍著你、影髊村鬼。你但那些一處睡，燒沙糖、管好滋味。

鼓笛令

見來便覺情於我，厮守著、新來好過。人道他家有婆婆，與一口、管教㞘磨。

副靖傳語木大，鼓兒裹、且打一和。更有些兒得處囉，燒沙糖、香藥添和。

浪淘沙

荔枝

憶昔謫巴蠻，荔子親攀。冰肌照映柘枝冠。日擘輕紅三百顆，一味甘寒。

重入鬼門關，也似人間。一雙和葉插雲鬟。賴得清湘燕玉面，同倚闌干。

留春令

江南一雁橫秋水，嘆咫尺、斷行千里。回紋機上字縱橫，欲寄遠，憑誰是。

謝客池塘春都未，微微動、短墻桃李。半陰纔暖却清寒，是瘦損人天氣。

南歌子

槐緑低窗暗，榴紅照眼明。玉人邀我少留行，無奈一帆煙雨畫船輕。

柳葉隨歌皺，梨花與淚傾。別時不似見時情，今夜月明江上酒初醒。

南歌子

詩有淵明語，歌無子夜聲。論文思見老彌明，坐想羅浮山下羽衣輕。

何處黔中郡，遥知隔晚晴。雨餘風急斷虹橫，應夢池塘春草若爲情。

南歌子

東坡過楚州，見浄慈法師，作《南歌子》。用其韻，贈郭詩翁二首。

郭大曾名我，劉翁復是誰。入廛能作和鑼椎。特地干戈相待使人疑。

秋浦橫波眼，春窗遠岫眉。普陀巖畔夕陽遲。何似金沙灘上放憨時。

南歌子

萬里滄江月，清波説向誰。頂門須更下金椎，只恐風驚草動又生疑。

金雁斜妝頰，青螺淺畫眉。庖丁有底下刀遲，直要人牛無際是休時。

望江東

江水西頭隔煙樹，望不見、江東路。思量只有夢來去，更不怕、江闌住。

燈前寫了書無數，算沒個、人傳與。直饒尋得雁分付，又還是、秋將暮。

一落索

誰道秋來煙景素，任遊人不顧。一番時態一番新，到得意、皆歡慕。

紫萸黄菊繁華處，對風庭月露。愁來即便去尋芳，更作甚、悲秋賦。

西江月

老夫既戒酒不飲，遇宴集，獨醒其傍。坐客欲得小詞，援筆爲賦。

斷送一生唯有，破除萬事無過。遠山微影蘸橫波，不飲傍人笑我。花病等閑瘦惡，春來没個遮闌。杯行到手莫留殘，不道月明人散。

西江月

茶詞

龍焙頭綱春早，谷簾第一泉香。已醺浮蟻嫩鵝黃，想見翻匙雪浪。　兔褐金絲寶碗，松風蟹眼新湯。無因更發次公狂，甘露來從仙掌。

西江月

崇寧甲申，遇惠洪上人於湘中，洪作長短句見贈云：『大厦吞風吐月，小舟坐水眠空。霧窗春色翠如葱，睡起雲濤正擁。　往事回頭笑處，此生彈指聲中。玉箋佳句敏驚鴻，聞道衡陽價重。』次韻酬之。時余方謫宜陽，而洪歸分寧龍安。

月側金盆墮水，雁回醉墨書空。君詩秀色雨園葱，想見衲衣寒擁。　蟻穴夢魂人世，楊花蹤迹風中。莫將社燕等秋鴻，處處春山翠重。

西江月

別夢已隨流水，淚巾猶裛香泉。相如依舊是癯仙，人在瑶臺閬苑。花霧縈風縹緲，歌珠滴水清圓。蛾眉新作十分妍，走馬歸來便面。

西江月

宋玉短墻東畔，桃源落日西斜。濃妝下著繡簾遮，鼓笛相催清夜。轉眄驚翻長袖，低徊細踏紅靴。舞餘猶顫滿頭花，嬌學男兒拜謝。

桃源憶故人

碧天露洗春容净，淡月曉收殘暈。花上密煙飄盡，花底鶯聲嫩。雲歸楚峽厭厭困，兩點遥山新恨。和淚暗彈紅粉，生怕人來問。

畫堂春

摩圍小隱枕蠻江，蛛絲閑鎖晴窗。水風山影上修廊，不到晚來涼。相伴蝶穿花徑，獨飛鷗舞溪光。不因送客下繩床，添火炷爐香。

賀聖朝

脱霜披茜初登第，名高得意。櫻桃榮宴玉墀遊，領群仙行綴。佳人何事輕相戲，道得之何濟。君家聲譽古無雙，且均平居二。

阮郎歸

曾㚚文既眄陳湘，歌舞便出其類，學書亦進。來求小楷，作《阮郎歸》詞付之。

盈盈嬌女似羅敷，湘江明月珠。起來綰髻又重梳，弄妝仍學書。歌調態，舞工夫，湖南都不如。它年未厭白髭鬚，同舟歸五湖。

阮郎歸

效福唐獨木橋體作茶詞

烹茶留客駐彫鞍，有人愁遠山。別郎容易見郎難，月斜窗外山。歸去後，憶前歡，畫屏金博山。一杯春露莫留殘，與郎扶玉山。

阮郎歸

茶詞

歌停檀板舞停鸞，高陽飲興闌。獸煙噴盡玉壺乾，香分小鳳團。雪浪淺，露花圓，捧甌春筍寒。絳紗籠下躍金鞍，歸時人倚闌。

阮郎歸

茶詞

摘山初製小龍團，色和香味全。碾聲初斷夜將闌，烹時鶴避煙。消滯思，解塵煩，金甌雪浪翻。只愁啜罷水流天，餘清攪夜眠。

阮郎歸

茶詞

黔中桃李可尋芳，摘茶人自忙。月團犀胯鬭圓方，研膏入焙香。青箬裹，絳紗囊，品高聞外江。酒闌傳盌舞紅裳，都濡春味長。

阮郎歸

退紅衫子亂蜂兒，衣寬只爲伊。爲伊去得忒多時，教人直是疑。

長睡晚，理妝遲，愁多懶畫眉。夜來算得有歸期，燈花則甚知。

阮郎歸

貧家春到也騷騷，瓊漿注小槽。老夫不出長蓬蒿，鄰墻開碧桃。

木芍藥，品題高，一枝煩剪刀。傳杯猶似少年豪，醉紅浸雪毛。

更漏子 詠餘甘湯

庵摩勒，西土果，霜後明珠顆顆。憑玉兔，搗香塵，稱爲席上珍。

號餘甘，無奈苦，臨上馬時分付。管回味，却思量，忠言君但嘗。

更漏子

體妖嬈，鬟婀娜，玉甲銀箏照座。危柱促，曲聲殘，王孫帶笑看。

休休休，莫莫莫，愁撥個絲中索。了了了，玄玄玄，山僧無盌禪。

清平樂

黃花當户，已覺秋容暮。雲夢南州逢笑語，心在歌邊舞處。

使君一笑眉開，新晴照酒樽來。且樂樽前見在，休思走馬章臺。

清平樂

休推小户，看即風光暮。萸糝菊英浮盌醑，報答風光有處。

幾回笑口能開，少年不肯重來。借問牛山繫馬，今爲誰姓池臺。

清平樂

舞鬟娟好，白髮黃花帽。醉任傍觀嘲潦倒，扶老偏宜年小。

舞回臉玉胸酥，纏頭一斛明珠。日日梁州薄媚，年年金菊茱萸。

清平樂

示知命

乍晴秋好，黃菊欹烏帽。不見清談人絕倒，更憶添丁小小。

蜀娘謾點花酥，酒槽空滴真珠。兄弟四人別住，它年同插茱萸。

清平樂

春歸何處，寂寞無行路。若有人知春去處，喚取歸來同住。春無蹤迹誰知，除非問取黃鸝。百囀無人能解，因風吹過薔薇。

清平樂

冰堂酒好，只恨銀杯小。新作金荷工獻巧，圖要連臺拗倒。唐龍朔中，子母相去，連臺拗倒。俗謂杯盤爲子母，又盤爲臺。採蓮一曲清歌，急檀催卷金荷。醉裏香飄睡鴨，更驚羅襪凌波。

好事近 湯詞

歌罷酒闌時，瀟灑座中風色。主禮到君須盡，奈賓朋南北。暫時分散總尋常，難堪久離拆。不似建溪春草，解留連佳客。

好事近 太平州小妓楊姝彈琴送酒

一弄醒心弦，情在兩山斜疊。彈到古人愁處，有真珠承睫。使君來去本無心，休淚界紅頰。自恨老來憎酒，負十分金葉。

好事近

不見片時霎，魂夢鎮相隨着。因甚近新無據，誤竊香深約。　思量模樣忔憎兒，惡又怎生惡。終待共伊相見，與佯佯奚落。

謁金門　示知命弟

山又水，行盡吳頭楚尾。兄弟燈前家萬里，相看如夢寐。　君似成蹊桃李，人我草堂松桂。莫厭歲寒無氣味，餘生今已矣。

好女兒　張寬夫園賞梅

小院一枝梅，衝破曉寒開。偶到張園遊戲，沾袖帶香回。　玉酒覆銀杯，盡醉去、猶待重來。東鄰何事，驚吹怨曲，雪片成堆。

好女兒

春去幾時還，問桃李無言。燕子歸棲風勁，梨雪亂西園。　唯有月嬋娟，似人人、難近如天。願教清影常相見，更乞取團圓。

好女兒

粉淚一行行，啼破曉來妝。懶繫酥胸羅帶，羞見繡鴛鴦。　擬待不思量，怎奈向、目下恓惶。假饒來後，教人見了，却去何妨。

減字木蘭花

登巫山縣樓作

襄王夢裏，草綠煙深何處是。宋玉臺頭，暮雨朝雲幾許愁。　飛花漫漫，不管羈人腸欲斷。春水茫茫，要渡南陵更斷腸。

減字木蘭花

距施州二十里，張仲謀遣騎相迎，因送所和樂府來，且約近郊相見。復用前韻先往。

使君那裏，千騎塵中依約是。拂我眉頭，無處重尋庾信愁。　山雲瀰漫，夾道旌旗聯復斷。萬事茫茫，分付澄波與爛腸。

減字木蘭花

巫山縣追懷老杜

巫山古縣，老杜淹留情始見。撥悶題詩，千古神交世不知。　雲陽臺下，更值清明風雨夜。知道愁辛，果是當時作賦人。

減字木蘭花 次韻趙文儀

詩翁才刃，曾陷文場貔虎陣。誰敢當哉，況是焚舟決勝來。　三巴春杪，客館夢回風雨曉。胸次崢嶸，欲共濤頭赤甲平。

減字木蘭花

蒼崖萬仞，下有奔雷千百陣。自古危哉，誰遣西園漝麼來。　猿啼雲杪，破夢一聲巫峽曉。苦喚愁生，不是西園作麼平。

減字木蘭花

餘寒争令，雪共臘梅相照映。昨夜東風，已出耕牛勸歲功。　陰陰冪冪，近覺去天無幾尺。休恨春遲，桃李梢頭次第知。

減字木蘭花

終宵忘寐，好事如何猶尚未。仔細沉吟，珠淚盈盈濕袖襟。　與君別也，願在郎心莫暫捨。記取盟言，聞早回程却再圓。

減字木蘭花

丙子仲秋，奉陪黔陽曹使君伯達翫月，作《減字木蘭花》，兼簡施州張使君仲謀。

中秋多雨，常是樽罍狼藉去。今夜雲開，須道姮娥得得來。　不知雲外，還有清光同此會。笛在層樓，聲徹摩圍頂上頭。

減字木蘭花

中秋無雨，醉送月銜西嶺去。笑口須開，幾度中秋見月來。　前年江外，兒女傳杯兄弟會。此夜登樓，小謝清吟慰白頭。

減字木蘭花

濃陰驟雨，巫峽有情來又去。今夜天開，不與姮娥作伴來。　清光無外，白髮老人心自會。何處歌樓，貪看冰輪不轉頭。

減字木蘭花

丙子仲秋，黔守席上，客有舉岑嘉州《中秋》詩曰：『今夜鄜州月，閨中只獨看。遥憐小兒女，未解憶長安。』因戲作。

舉頭無語，家在月明生處住。擬上摩圍，最上峰頭試望之。　偏憐絡秀，苦淡同甘誰更有。想見牽衣，月到愁邊總未知。

減字木蘭花 戲答

月中笑語，萬里同依光景住。天水相圍，相見無因夢見之。　諸兒娟秀，儒學傳家渠自有。自作秋衣，漸老先寒人未知。

減字木蘭花 用前韻示知命弟

當年夜雨，頭白相依無去住。兒女成圍，歡笑樽前月照之。　阿連高秀，千萬里來忠孝有。豈謂無衣，歲晚先寒要弟知。

訴衷情

小桃灼灼柳鬖鬖，春色滿江南。雨晴風暖煙淡，天氣正醺酣。　山潑黛，水挼藍，翠相攙。歌樓酒旆，故故招人，權典青衫。

訴衷情

在戎州，登臨勝景，未嘗不歌漁父家風，以謝江山。門生請問先生家風如何，爲擬金華道人，作此章。

一波纔動萬波隨，蓑笠一鉤絲。金鱗政在深處，千尺也須垂。　吞又吐，信還疑，上鉤遲。水寒江净，滿目青山，載月明歸。

訴衷情

旋揎玉指著紅靴，宛宛鬬彎訛。天然自有殊態，愁黛不須多。

分遠岫，壓橫波，妙難過。自欹枕處，獨倚闌時，不奈顰何。

採桑子

送彭道微使君移知永康軍

荔枝灘上留千騎，桃李陰繁。宴寢香殘，畫戟森森鎮八蠻。

永康又得風流守，管領江山。少訟多閑，煙靄樓臺舞翠鬟。

採桑子

虛堂密候參同火，梨棗枝繁。深鎖三關，不要樊姬與小蠻。

遥知風雨更闌夜，猶夢巫山。濃麗清閑，曉鏡新梳十二鬟。

採桑子

投荒萬里無歸路，雪點鬢繁。度鬼門關，已拚兒童作楚蠻。

黄雲苦竹啼歸去，繞荔枝山。蓬户身閑，歌板誰家教小鬟。

採桑子

馬湖來舞釵初賜，笳鼓聲繁。賢將開關，威竦西山八詔蠻。

南溪地逐名賢重，深鎖群山。燕喜公閑，一斛明珠兩小鬟。

採桑子

獻贈黃中行

宗盟有妓能歌舞，宜醉樽罍。待約新醅，車上危坡盡要推。

西鄰三弄爭秋月，邀勒春回。個裏聲催，鐵樹枝頭花也開。

採桑子

夜來酒醒清無夢，愁倚闌干。露滴輕寒，兩行芙蓉淚不乾。

佳人別後音塵悄，銷瘦難拚。明月無端，已過紅樓十二間。

採桑子

櫻桃著子如紅豆，不管春歸。聞道開時，蜂惹香鬚蝶惹衣。

樓臺燈火明珠翠，酒戀歌迷。醉玉東西，少個人人暖被携。

採桑子

城南城北看桃李，依倚年華。楊柳藏鴉，又是無言颭落花。　春風一面長含笑，偷顧羞遮。分付誰家，把酒花前試問他。

歸田樂令

引調得，甚近日心腸不戀家，寧寧地、思量他，思量他。兩情各自肯，甚忙咱。　意思裏、莫是賺人吵。噉奴真個嘚、共人嘚。

卜算子

要見不得見，要近不得近。試問得君多少憐，管不解、多於恨。　禁止不得淚，忍管不得悶。天上人間有底愁，向個裏、都諳盡。

菩薩蠻

王荆公新築草堂於半山，引八功德水作小港，其上壘石作橋。爲集句云：『數間茅屋閑臨水，窄衫短帽垂楊裏。花是去年紅，吹開一夜風。梢梢新月偃，午醉醒來晚。何物最關情，黄鸝三兩聲。』戲效荆公作。

半煙半雨溪橋畔，漁翁醉著無人喚。疏懶意何長，春風花草香。江山如有待，此意陶潛解。問我去何之，君行到自知。

菩薩蠻

淹泊平山堂，寒食節，固陵録事參軍表弟周元固惠酒，爲作此詞。

細腰宫外清明雨，雲陽臺上煙如縷。雲雨暗巫山，流人殊未還。阿誰知此意，解遣雙壺至。不是白頭新，周郎舊可人。

雪花飛

携手青雲路穩，天聲迤邐傳呼。袍笏恩章乍賜，春滿皇都。何處難忘酒，瓊花照玉壺。歸嫋絲梢競醉，雪舞郊衢。

浣溪沙

飛鵲臺前暈翠蛾，千金新買帝青螺，最難如意爲情多。
幾處淚痕留醉袖，一春愁思近橫波，遠山低盡不成歌。

浣溪沙

一葉扁舟捲畫簾，老妻學飲伴清談，人傳詩句滿江南。
林下猿垂窺滌硯，巖前鹿卧看收帆，杜鵑聲亂水如環。

浣溪沙

新婦磯頭眉黛愁，女兒浦口眼波秋，驚魚錯認月沉鈎。
青箬笠前無限事，緑蓑衣底一時休，斜風細雨轉船頭。

點絳唇

重九日寄懷嗣直弟。時再遊涪陵，用東坡餘杭九日《點絳唇》舊韻二首。

濁酒黄花，畫簾十日無秋燕。夢中相見，似作枯禪觀。　鏡裏朱顔，又減心情半。江山遠，登高人健，寄語東飛雁。

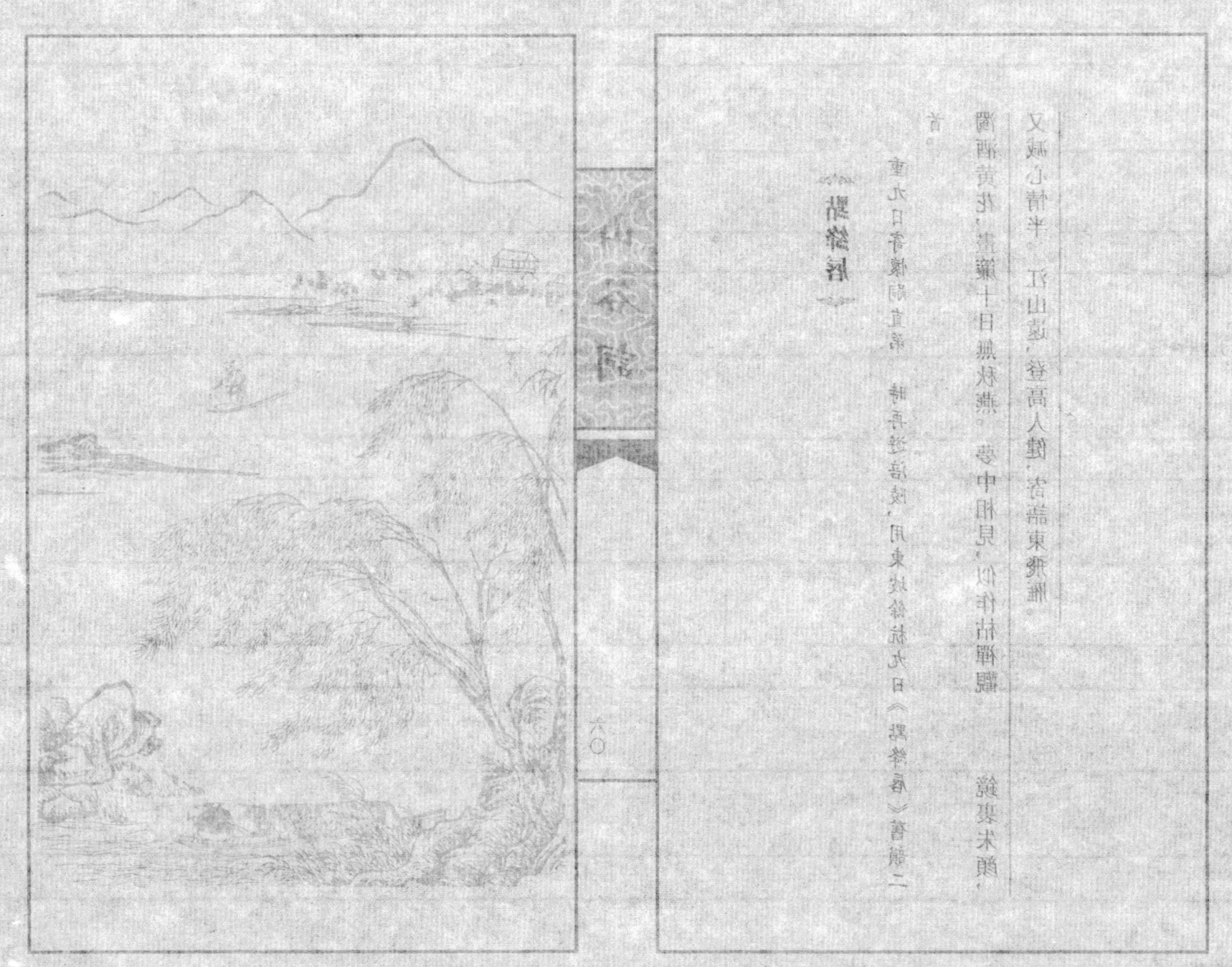

點絳唇

幾日無書，舉頭欲問西來燕。世情夢幻，復作如斯觀。　自歎人生，分合常相半。戎雖遠，念中相見，不託魚和雁。

點絳唇

羅帶雙垂，妙香長恁携纖手。半妝紅豆，各自相思瘦。　聞道伊家，終日眉兒皺。不能勾、淚珠輕溜，裛損揉藍袖。

調笑令 并詩

海上神仙字太真，昭陽殿裏稱心人。猶思一曲霓裳舞，散作中原胡馬塵。方士歸來説風度，梨花一枝春帶雨。分釵半鈿愁殺人，上皇倚欄獨無語。

無語，恨如許。方士歸時腸斷處，梨花一枝春帶雨，半鈿分釵親付。天長地久相思苦，渺渺鯨波無路。

宴桃源 書趙伯充家小姬領巾

天氣把人僝僽，落絮遊絲時候。茶飯可曾炊，鏡中贏得銷瘦。　生受，生受，更被養娘催繡。

補遺

滿庭芳

茶

北苑春風，方圭圓璧，萬里名動京關。碎身粉骨，功合上淩煙。樽俎風流戰勝，降春睡、開拓愁邊。纖纖捧，研膏濺乳，金縷鷓鴣斑。 相如雖病渴，一觴一詠，賓有群賢。爲扶起燈前，醉玉頹山。搜攬胸中萬卷，還傾動、三峽詞源。歸來晚，文君未寢，相對小窗前。

畫堂春

東風吹柳日初長，雨餘芳草斜陽。杏花零落燕泥香，睡損紅妝。 寶篆煙銷龍鳳，畫屏雲鎖瀟湘。夜寒微透薄羅裳，無限思量。

畫堂春

東堂西畔有池塘，使君棐几明窗。日西人吏散東廊，蒲葦送輕涼。 翠管細通巖溜，小峰重疊山光。近池催置琵琶床，衣帶水風香。

菩薩蠻　閨情

輕風裊斷沉煙炷，霏微盡日寒塘雨。殘繡没心情，鳥啼花外聲。

離愁難自制，年少乖盟誓。寂寞掩朱門，羅衣空淚痕。

訴衷情

珠簾繡幕捲輕霜，呵手試梅妝。都緣自有離恨故，畫作遠山長。

思往事，惜流光，恨難忘。未歌先斂，欲笑還顰，最斷人腸。

醉落魄

蒼顏華髮，故鄉歸路無因得。舊交新貴音書絶。唯有家人，猶作殷勤別。

離亭欲去歌聲咽，瀟瀟細雨涼生頰。淚珠不用羅巾裛。彈在羅衣，圖得見時說。

青玉案　殘句

棄我之官窮海上，鯨吞舟楫，蜃噓樓觀，落筆添清壯。

以下九首據《全宋詞》補

西江月

用惠洪韻

細細風清撼竹，遲遲日暖開花。香幃深臥醉人家。媚語嬌聲婭姹。

姹婭聲嬌語媚，家人醉臥深幃。香花開暖日遲遲。竹撼清風細細。

失調名

直須把、茱萸遍插，看滿座、細嗅清香。

好事近

橄欖

瀟灑薦冰盤，滿坐暗驚香集。久後一般風味，問幾人知得。　畫堂飲散已歸來，清潤轉更惜。留取酒醒時候，助茗甌春色。

瑞鶴仙

環滁皆山也。望蔚然深秀，琅琊山也。山行六七里，有翼然泉上，醉翁亭也。翁之樂也。得之心、寓之酒也。更野芳佳木，風高日出，景無窮也。 游也。山肴野蔌，酒洌泉香，沸籌觥也。太守醉也。諠譁衆賓歡也。況宴酣之樂、非絲非竹，太守樂其樂也。問當時、太守爲誰，醉翁是也。

驀山溪 春晴

朝來風日，陡覺春衫便。翠柳豔明眉，戲鞦韆、誰家倩盼。煙勻露洗，草色媚横塘，平沙軟，雕輪轉，行樂聞弦管。　追思年少，走馬尋芳伴。一醉幾纏頭，過揚州、珠簾盡捲。而今老矣，花似霧中看，歡喜淺，天涯遠，信馬歸來晚。

搗練子

梅凋粉，柳摇金。微雨輕風斂陌塵。厚約深盟何處訴，除非重見那人人。

失调名 殘句

屋角數聲鴉噪柳。

失调名 殘句

舊家楊柳依依緑，長鎖春來庭院。

漁家傲

題船子釣灘

蕩漾生涯身已老，短蓑篛笠扁舟小。深入水雲人不到。吟復笑，一輪明月長相照。

誰謂阿師來問道，一橈直與傳心要。船子踏翻纔是了。波渺渺，長鯨萬古無人釣。

附録一

黄庭堅傳記

黄庭堅，字魯直，洪州分寧人。幼警悟，讀書數過輒成誦。舅李常過其家，取架上書問之，無不通，常驚，以爲一日千里。舉進士，調葉縣尉。熙寧初，舉四京學官，第文爲優，教授北京國子監，留守文彦博才之，留再任。蘇軾嘗見其詩文，以爲超軼絶塵，獨立萬物之表，世久無此作，由是聲名始震。知太和縣，以平易爲治。時課頒鹽筴，諸縣争占多數，太和獨否，吏不悦，而民安之。

哲宗立，召爲校書郎、《神宗實録》檢討官。逾年，遷著作佐郎，加集賢校理。《實録》成，擢起居舍人。丁母艱。庭堅性篤孝，母病彌年，晝夜視顔色，衣不解帶，及亡，廬墓下，哀毁得疾幾殆。服除，爲秘書丞，提點明道宫，兼國史編修官。紹聖初，出知宣州，改鄂州。章惇、蔡卞與其黨論《實録》多誣，俾前史官分居畿邑以待問，摘千餘條示之，謂爲無驗證。既而院吏考閲，悉有據依，所餘才三十二事。庭堅書『用鐵龍爪治河，有同兒戲』。至是首問焉。對曰：『庭堅時官北都，嘗親見之，真兒戲耳。』凡有問，皆直辭以對，聞者壯之。貶涪州别駕，黔州安置，言者猶以處善地爲骫法。以親嫌，遂移戎州，庭堅泊然，不以遷謫介意。蜀士慕從之游，講學不倦，凡經指授，下筆皆可觀。

徽宗即位，起監鄂州税，簽書寧國軍判官，知舒州，以吏部員外郎召，皆辭不行。丐郡，得知太平州，至之九日罷，主管玉隆觀。庭堅在河北與趙挺之有微隙，挺之執政，轉運判官陳舉承風旨，上其所作《荆南承天院記》，指爲幸災，復除名，羈管宜州。三年，徙永州，未聞命而卒，年六十一。

庭堅學問文章，天成性得，陳師道謂其詩得法杜甫，學甫而不爲者。善行、草書，楷法亦自成一家。與張耒、晁補之、秦觀俱游蘇軾門，天下稱爲四學士，而庭堅於文章尤長於詩，蜀、江西君子以庭堅配軾，故稱『蘇、黄』。軾爲侍從時，舉以自代，其詞有『瓌偉之文，妙絶當世，孝友之行，追配古人』之語，其重之也如此。初，游灊皖山谷寺、石牛洞，樂其林泉之勝，因自號山谷道人云。

《宋史》卷四百四十四《文苑傳》

附録二

毛晉跋

魯直少時，使酒玩世，喜造纖淫之句。法秀道人誡云：『筆墨勸淫，應墮犁舌地獄。』魯直答曰：『空中語耳！』晚年來亦間作小詞，往往借題棒喝，拈示後人，如效寶寧勇禪師《漁家傲》幾闋，豈其與《桃葉》《團扇》鬭妖艷邪？

古虞毛晉記

明汲古閣本《山谷詞》卷末

《四庫全書總目》山谷詞提要

《山谷詞》一卷，宋黃庭堅撰。庭堅有《山谷集》，已著録。此其別行之本也。《宋史·藝文志》載《庭堅樂府》二卷，《書録解題》則載《山谷詞》一卷。蓋宋代傳刻已合併之矣。陳振孫於晁无咎詞條下引補之語曰：『今代詞手，惟秦七、黃九，他人不能及也。』於此集條下又引補之語曰：『魯直間作小詞，固高妙，然不是當行家語，自是著腔子唱好詩。』二說自相矛盾，考秦七、黃九語在《後山詩話》中，乃陳師道撰，殆陳振孫誤記歟。今觀其詞，如《沁園春》、《望遠行》、

《千秋歲》第二首、《江城子》第二首、《兩同心》第二首第三首、《少年心》第一首第二首、《醜奴兒》第二首、《鼓笛令》四首、《好事近》第三首，皆褻諢不可名狀。至於《鼓笛令》第三首之用『𣫍』字，第四首之用『𡱂』字，皆字書所不載，尤不可解，不止補之所云不當行已也。顧其佳者，則妙脱蹊徑，迥出慧心。補之著腔好詩之説，頗爲近之。師道以配秦觀，殆非定論。觀其《兩同心》第二首與第三首，《玉樓春》第一首與第二首，《醉蓬萊》第一首與第二首，皆改本與初本並存，則當時以其名重，片紙隻字，皆一概收拾，美惡雜陳，故至於是，是固宜分别觀之矣。陸游《老學庵筆記》辨其《念奴嬌》詞『老子平生，江南江北，愛聽臨風笛』句，俗本不知其用蜀中方音，改『笛』爲『曲』以叶韻。今考此本仍作『笛』字，則猶舊本之未經竄亂者矣。

《欽定四庫全書總目》卷一九八《集部·詞曲類一》

張元濟跋

《四庫全書總目》録晁无咎詞曰《琴趣外篇》。宋人中如歐陽修、黄庭堅、晁端禮、葉夢得四家詞，皆有此名，併補之此集而五，殊爲淆混。蓋館臣僅見毛氏所刊晁詞。實則「琴趣」爲當時詞之别名，曰某某詞者，亦可稱曰某某琴趣。今其書皆已復出，歐陽曰《醉翁琴趣》，黄曰《山谷琴趣》，二晁曰《閑齋》、曰《晁氏琴趣》，可證也。是爲余六世祖寒坪公舊藏，卷端襯葉鈐有「清綺齋書畫記」小印。錢警石《曝書雜記》云：「二十年前，同家□□訪古鹽張氏主人，見有宋版《琴趣外編》，按爲「篇」字之訛。乃歐陽文忠、黄山谷、秦淮海之詞稿也。」余得此於故鄉某親串家，同時尚有《醉翁琴趣》後三卷，而淮海已不可復見，此爲四庫館臣所未知。設兼得之，不更快耶。雙照樓吴氏刊《醉翁琴趣》，用汲古毛氏影宋鈔本。卷末缺兩半行，與余家藏本正同，此可證爲毛氏所自出。吾友陶蘭泉，假是本覆刻，與吴氏所刊並行。涵芬樓亦嘗印入《續古逸叢書》中。然皆非單行，不易得，故更縮影，以廣流通。

海鹽張元濟

《四部叢刊》三編集部《山谷琴趣外篇》卷末

文華叢書

《文華叢書》是廣陵書社歷時多年精心打造的一套綫裝小型開本國學經典。選目均爲中國傳統文化之經典著作，如《唐詩三百首》《宋詞三百首》《古文觀止》《四書章句》《六祖壇經》《山海經》《天工開物》《歷代家訓》《納蘭詞》《紅樓夢詩詞聯賦》等，均爲家喻户曉、百讀不厭的名作。裝幀採用中國傳統的宣紙、綫裝形式，古色古香，樸素典雅，富有民族特色和文化品位。精選底本，精心編校，字體秀麗，版式疏朗，價格適中。經典名著與古典裝幀珠聯璧合，相得益彰，贏得了越來越多讀者的喜愛。現附列書目，以便讀者諸君選購。

文華叢書書目

人間詞話（套色）（二册）
了凡四訓　勸忍百箴（二册）
三字經・百家姓・千字文・弟子規（外二種）（二册）
三曹詩選（二册）
小窗幽紀（二册）
山谷詞（套色、插圖）（二册）
山海經（插圖本）（三册）
千家詩（二册）
王安石詩文選（二册）
王維詩集（二册）
天工開物（插圖本）（四册）
元曲三百首（二册）
元曲三百首（插圖本）（二册）
太極圖説・通書（二册）
水雲樓詞（套色、插圖）（二册）
片玉詞（套色、注評、插圖）（二册）
六祖壇經（二册）
文心雕龍（二册）
文房四譜（二册）
孔子家語（二册）
世説新語（二册）
古文觀止（四册）
古詩源（三册）
史記菁華録（三册）
史略・子略（三册）
四書章句（大學、中庸、論語、孟子）（二册）
白雨齋詞話（三册）
白居易詩選（二册）
老子・莊子（三册）
西厢記（插圖本）（二册）
列子（二册）
伊洛淵源録（二册）
孝經・禮記（三册）
花間集（套色、插圖本）（二册）
杜牧詩選（二册）
李白詩選（簡注）（二册）
李商隱詩選（二册）
李清照集附朱淑真詞（二册）

文華叢書書目

近三百年名家詞選（三册）
近思録（二册）
辛弃疾詞（二册）
宋元戲曲史（二册）
宋詞三百首（二册）
宋詞三百首（套色、插圖本）（二册）
宋詩舉要（三册）
初唐四傑詩（二册）
長物志（二册）
林泉高致・書法雅言（一册）
東坡志林（二册）
東坡詞（套色、注評）（二册）
呻吟語（四册）
金剛經・百喻經（二册）
金奩集（二册）
周易・尚書（二册）
孟子（附孟子聖迹圖）（二册）
孟浩然詩集（二册）
草堂詩餘（二册）
茶經・續茶經（三册）
荀子（三册）
柳宗元詩文選（二册）
秋水軒尺牘（二册）
鬼谷子（二册）
姜白石詞（一册）
紅樓夢詩詞聯賦（二册）
秦觀詩詞選（二册）
珠玉詞・小山詞（二册）
格言聯璧（二册）
笑林廣記（二册）
唐詩三百首（二册）
唐詩三百首（插圖本）（二册）
酒經・酒譜（二册）
浮生六記（二册）
孫子兵法・孫臏兵法・三十六計（二册）
陶庵夢憶（二册）
陶淵明集（二册）
納蘭詞（套色、注評）（二册）

菜根譚・幽夢影・圍爐夜話（三册）
菜根譚・幽夢影（二册）
雪鴻軒尺牘（二册）
張玉田詞（二册）
搜神記（二册）
閑情偶寄（四册）
飲膳正要（二册）
曾國藩家書精選（二册）
畫禪室隨筆附骨董十三説（二册）
絶妙好詞箋（三册）
夢溪筆談（三册）
楚辭（二册）
園冶（二册）
傳習録（二册）
傳統蒙學叢書（二册）
詩品・詞品（二册）
詩經（插圖本）（二册）
裝潢志・賞延素心録（外九種）（二册）
經史問答（二册）
經典常談（二册）
管子（四册）
隨園食單（二册）
蕙風詞話（三册）
歐陽修詞（二册）
遺山樂府選（二册）
墨子（三册）
樂章集（插圖本）（二册）
論語（附聖迹圖）（二册）
歷代家訓（簡注）（二册）
戰國策（四册）
學詞百法（二册）
學詩百法（二册）
韓愈詩文選（二册）
藝概（二册）
顔氏家訓（二册）
＊洛陽伽藍記（二册）
＊憶雲詞（二册）

（加＊爲待出書目）

清賞叢書

《清賞叢書》是廣陵書社最新打造的一套綫裝小開本圖書。本叢書選目均爲古人所稱清玩之物、清雅之言，主要是有關古人精緻生活、書畫金石鑒賞等著作，如高濂《遵生八箋》、張岱《西湖夢尋》、曹昭《格古要論》等，讓喜好傳統文化的讀者，享受古典之美，欣賞風雅之樂。

本叢書裝幀仍採用中國傳統的宣紙、綫裝形式，與本社另一套經典名著叢書《文華叢書》相得益彰，古色古香，樸素典雅，富有民族特色和文化品位。本社精選底本，精心編校，版式疏朗，字體秀麗，價格適中。現附列書目，以便讀者選購。

山家清供附山家清事（二册）
西湖夢尋（二册）
牡丹譜　芍藥譜（二册）
洞天清禄集　格古要論（二册）
梅蘭竹菊譜（二册）
遵生八箋·四時調攝箋（四册）
遵生八箋·起居安樂箋（二册）
遵生八箋·飲饌服食箋（三册）
遵生八箋·燕閑清賞箋（三册）
*印典（二册）
*汝南圃史（三册）
*荔枝譜（二册）
*香譜（二册）
*猫苑　猫乘（二册）

（加*爲待出書目）